W9-CHQ-740

A los cuentistas,
que viven para contar.

Pep Bruno

Este libro es el ganador del IV Concurso Internacional de Álbum Infantil Ilustrado «Biblioteca Insular. Cabildo de Gran Canaria». El jurado, que otorgó el premio el 30 de abril de 2009, estuvo presidido por Luz Caballero Rodríguez, consejera de Cultura y Patrimonio Histórico y Cultural del Cabildo grancanario; actuaron como vocales Samuel Alonso Omeñaca, autor; María Luisa Hodson Torres, profesora de Bellas Artes de la Universidad de La Laguna; Rafael Vivas, ilustrador; Pilar Careaga Castrillo, del Grupo Editorial Luis Vives; y como secretaria, Mara Díaz Guerra, Técnica Bibliotecaria de la Biblioteca Insular de Gran Canaria.

Carretera de Madrid, km 315,700
50012 Zaragoza
teléfono: 913 344 883
www.edelvives.es

Editado por Llanos de la Torre Verdú

ISBN: 978-84-263-7341-0
Depósito legal: Z. 2913-09

Talleres Gráficos Edelvives (50012 Zaragoza)
Certificados ISO 9001
Printed in Spain

Un loro en mi granja

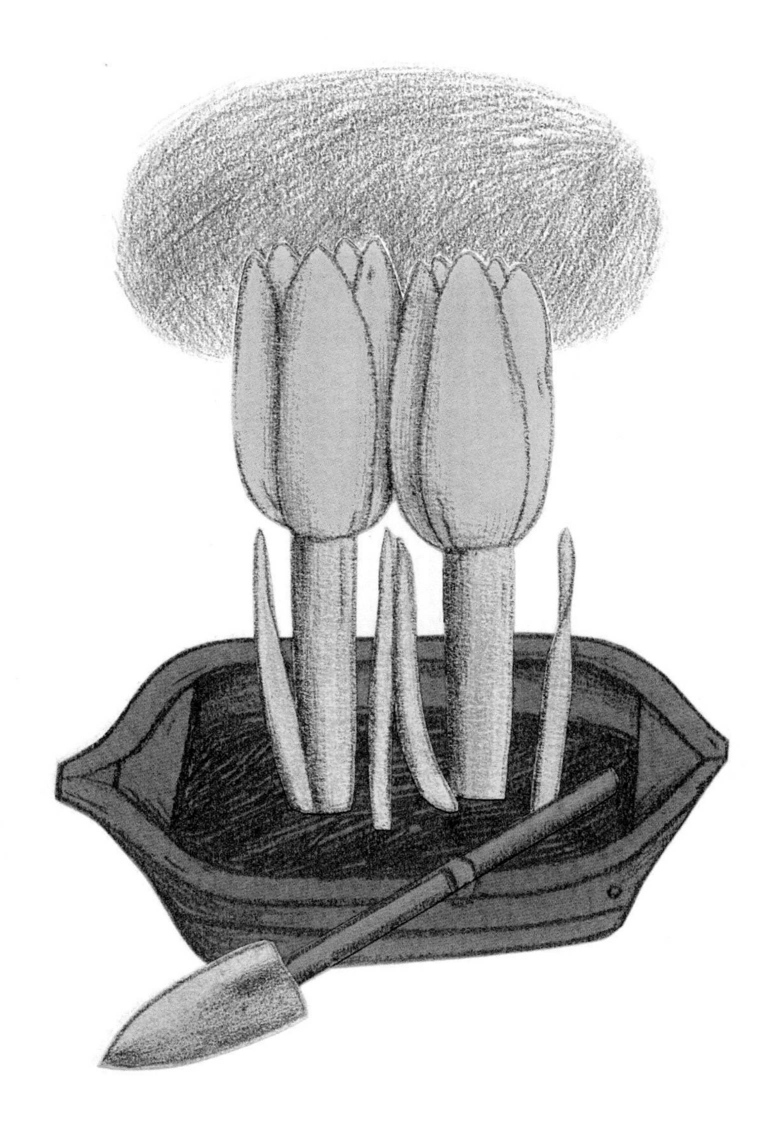

Texto de Pep Bruno
Ilustraciones de Lucie Müllerová

EDELVIVES

Esta es mi granja.

En ella puedes encontrar **cerdos, caballos,** gallinas, **ovejas,** alguna **vaca,** algún pato, un **perro** que se llama *Pánfilo*... Lo habitual en una granja.

Y también hay un **loro.**

Quizá parezca raro que en una **granja** haya un **loro.** Pero **esta** granja lo tiene. Y además es muy **útil.**

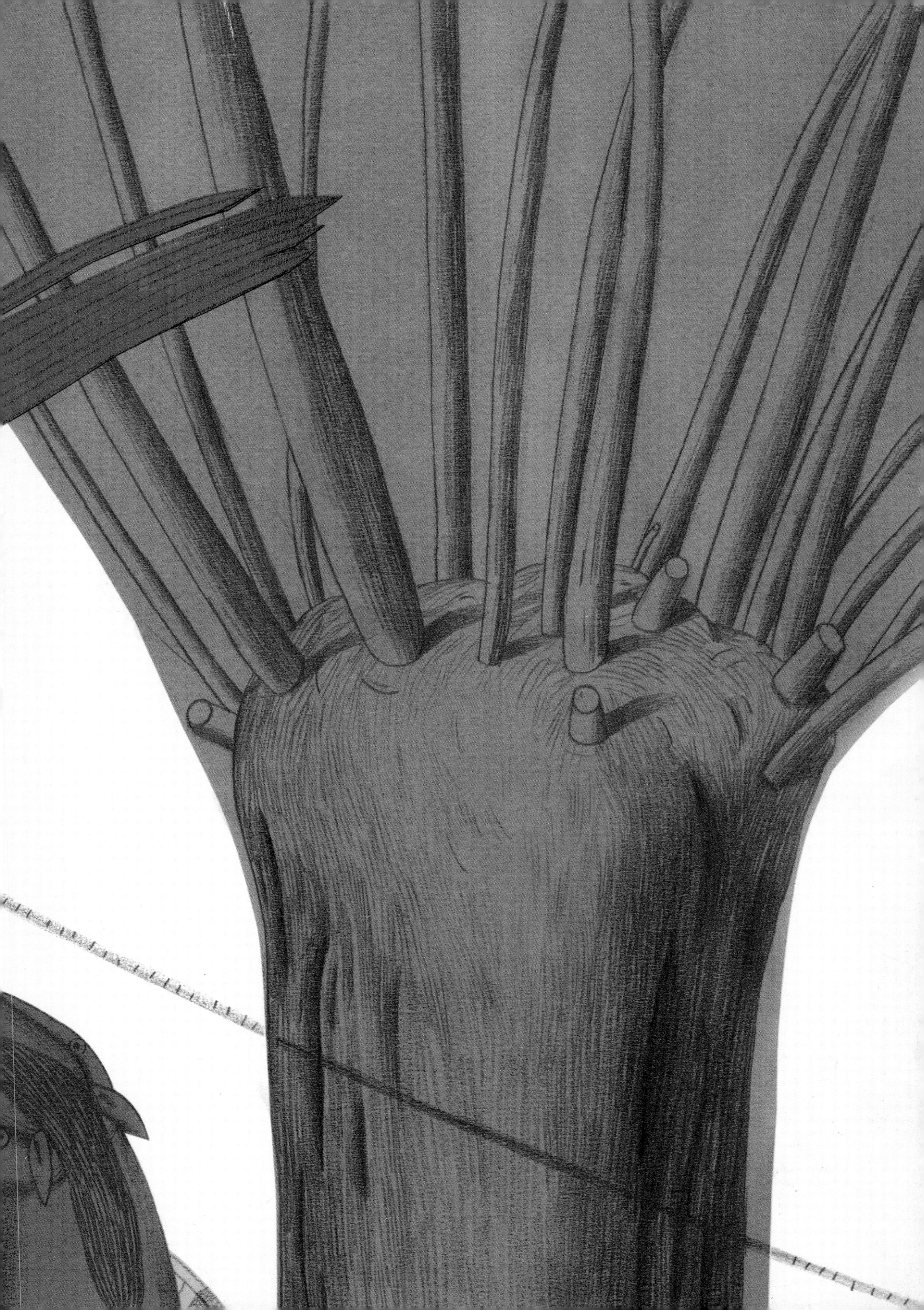

Vive con las gallinas.
No empolla huevos como ellas,
pero ocupa su lugar con **mucho** cariño
y procura no separarse de su nido
ni un instante.
¡Es un ejemplo a seguir!

Suele dormir cuando las gallinas
cacarean las novedades de la granja.
Pero a veces despierta sobresaltado
por algún sueño y, del susto,
las gallinas ponen uno, dos, tres
y hasta cuatro huevos de golpe.
Eso siempre resulta útil.

¡AL ABORDAJE! ¡AL ABORDAJE!

Además, cuando el gallo está afónico
es el loro quien nos despierta a todos.

O cuando *Pánfilo*, nuestro perro,
se queda dormido, que ocurre a menudo,
el loro se ocupa de que nadie moleste
al resto de animales.

Day
off

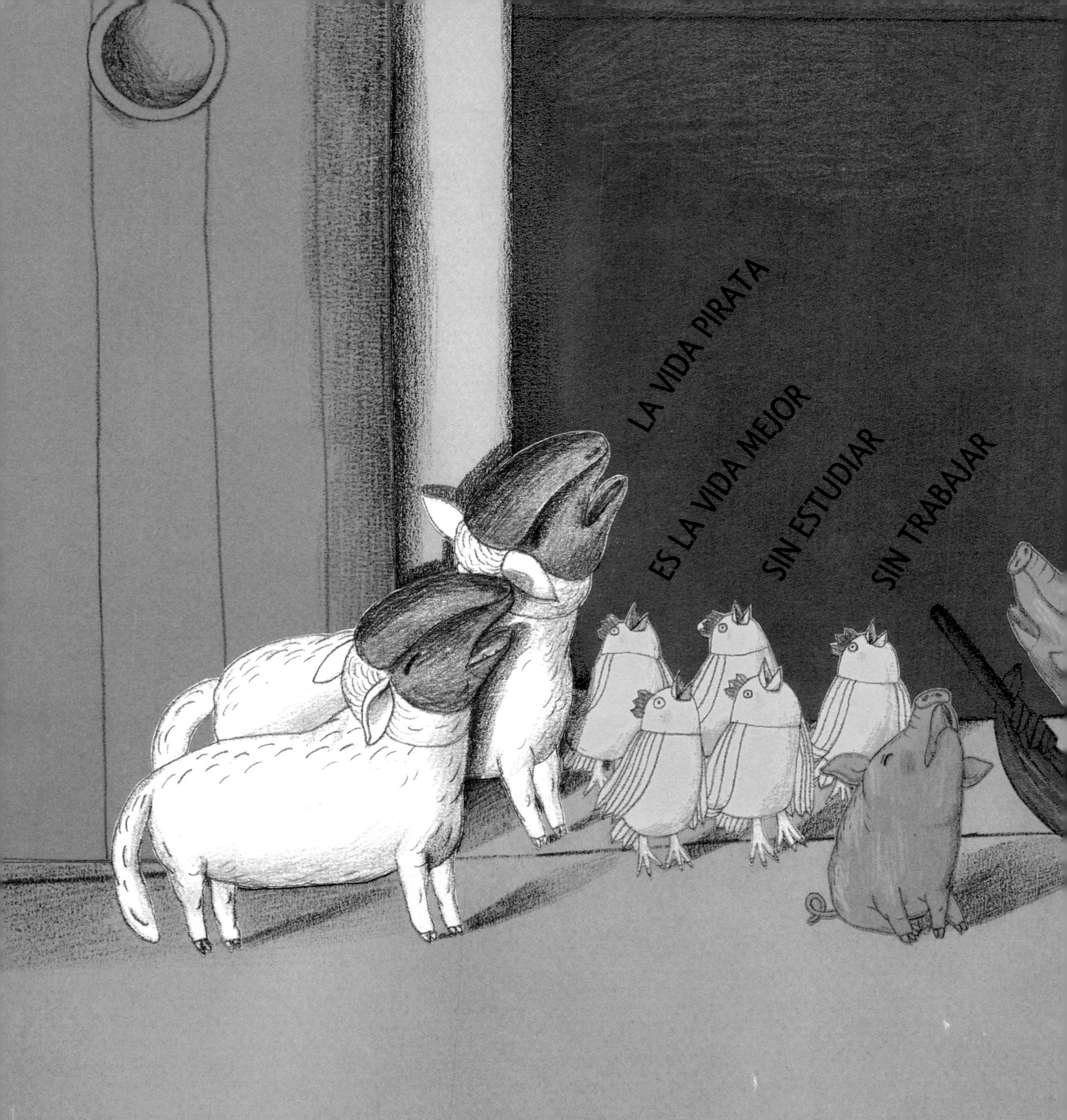

Tampoco le cuesta nada
entretener a los más pequeños.

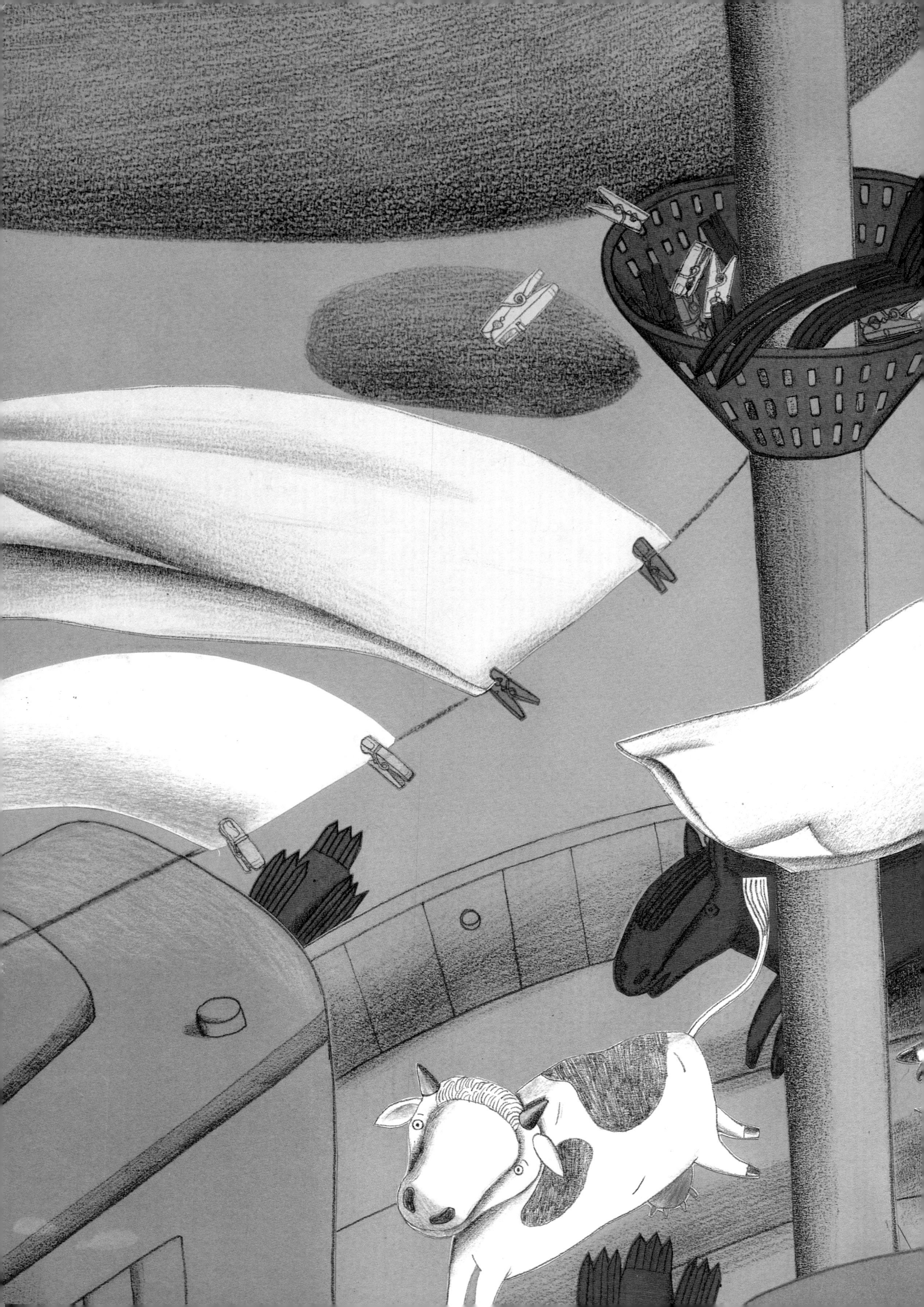

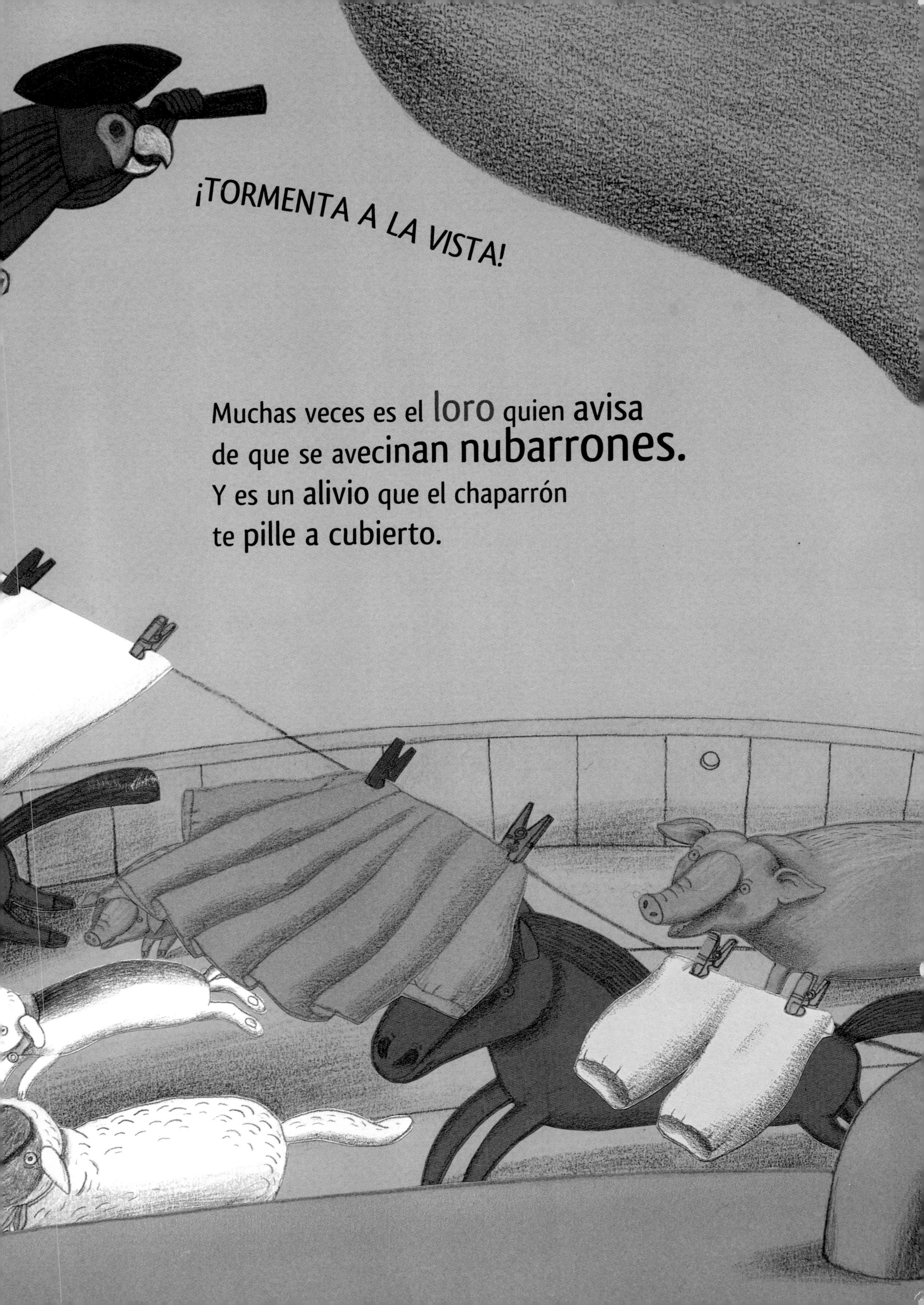

Muchas veces es el loro quien avisa
de que se avecinan nubarrones.
Y es un alivio que el chaparrón
te pille a cubierto.

Es en esas **noches de lluvia** cuando nos damos cuenta de la **importancia** de tener un loro con **nosotros**: nadie sabe contar **historias** como él.

¡Qué **bueno** es tener cerca
alguien que sepa contar
hermosas historias!

Si a pesar de todo todavía no crees
que sea bueno tener un loro en una granja,
debes saber que hay un motivo más:
a mí me gusta mucho que el loro
esté en mi granja.

¿Que quién soy yo? Yo soy John, el granjero.
Aunque, bueno, antes de ser granjero...
tuve otro oficio.

Pero esa es otra historia.